PEACEFUL PUZZLES

Wordsearch

Let this delightful collection transport
you to a calm place

ARCTURUS

Picture credit: Shutterstock

ARCTURUS

This edition published in 2021 by Arcturus Publishing Limited
26/27 Bickels Yard, 151–153 Bermondsey Street,
London SE1 3HA

ISBN: 978-1-83857-358-4
AD007977NT

Printed in China

Contents

STARS

1

```
N E A L U L U S E E R I C R E
M A R C T U R U S E L V U T N
M G T E I N A B U H T O E R H
M A L L E P A C E N D G I G H
E U R W A S S L G P I G L H A
N R U K C S E O L O E H S S K
K T H H A C O E E L N Y A U A
A N E I T B C T T A J E H L H
R A Q R L M A K E R W F D U P
T P A Z R M H A B I J E D G R
K E T E I A Y R A S B I P E I
O R L N D E N E B A P V M R M
C S L A E N A M R H L T T R V
A E R Y H C L A D S E M A U E
B N E A S W N A S O N M I E N
```

ALDEBARAN	ETAMIN	POLARIS
ARCTURUS	HADAR	REGULUS
ATLAS	KOCAB	RIGEL
BETELGEUSE	MARKAB	SCHEAT
CAPELLA	MENKAR	SHEDIR
DENEB	MERAK	SPICA
DIPHDA	MIRPHAK	THUBAN
ELECTRA	NIHAL	VEGA

THE NORDIC REGION

2

```
Y V A E D U A R B A F U A L T
L I M L D E N M A R K E Y F M
E B I C S B E L L A B K W L P
H O E R A R D F W U I L Y J N
S R H I T I E K I V R A N U O
E G D C H B W D A N W U U S D
S G N C O L S J N R L N Y N R
N A O I I P K V O A E A U A A
E M R T K Y E N A T R S N N B
D L T C E I C N O N E F M D L
O A R R I O V F H L N S S D A
V S O A S S O C A A C E I C V
M T M S A L E O L D G W R F S
V A S F J O R D S B I E R N P
P N O C R H E R N I N G N Y I
```

ALESUND	**LAUFABRAUD**	**REYKJAVIK**
ARCTIC CIRCLE	**LJUSNAN**	**SVALBARD**
COPENHAGEN	**LOFOTEN**	**SWEDEN**
DENMARK	**NARVIK**	**TROMSO**
FINLAND	**NORWAY**	**TRONDHEIM**
FJORDS	**ODENSE**	**VANNERN**
GAMLA STAN	**OSLO**	**VIBORG**
HERNING	**RANDERS**	**VIKINGS**

VARIETIES OF ROSE

3

```
I P E A C E Y K O C S A B A T
J D S Z M P R I C E L E S S S
A S O W Y E I N T L U X O R E
C E R L J Q A A B M A S O I R
K Y Y N E B F S Q M A R H S A
W V R O A A E L V T Y Y C V E
O P A N N X H I U U S R F I D
O X M I Y F T E T N H U I L Y
D V T R O D D E N M A N R A U
B A E E Z C X N X U D R H T M
L X T D E A X E T A N O O R A
Y J I I S A I C I L E F Q S S
Y C B R O D I D L O G L L A A
H T E B A Z I L E N E E U Q B
O Y T H G I L E D E L B U O D
```

ALL GOLD	**JACK WOOD**	**PRICELESS**
ASHRAM	**LATINA**	**QUEEN ELIZABETH**
BRIDE	**LEGEND**	**RIO SAMBA**
DEAREST	**LUNA ROSA**	**SEXY REXY**
DENMAN	**LUXOR**	**TABASCO**
DOUBLE DELIGHT	**MARY ROSE**	**TEXAS**
FELICIA	**MYRIAM**	**THE FAIRY**
IDOLE	**PEACE**	**TRUST**

4

```
G G O G A G S O A R I N G E C
N N A N N N U B A I N G B L
I I E G O I G I G U I F G U I
G M X N N V G N D S L N J D M
R O T I R I X R I N I G S D B
U O E N M R N A A T A J I I I
S R N E A H R E A L U P W N N
H H D D T T R R P G N O X G G
O S I I U F E W U E N E R E X
O U N W R F I N G A E I E P G
T M G N I P O L E V E D X N S
I E K L N B O O M I N G I A Y
N D O R G A I N I N G S G U W
G R G N I S S A M V I C J B E
P S W E L L I N G R O S I N G
```

BOOMING	**EXTENDING**	**SHOOTING**
BUDDING	**GAINING**	**SOARING**
BULGING	**MASSING**	**SPROUTING**
CLIMBING	**MATURING**	**SURGING**
DEEPENING	**MUSHROOMING**	**SWELLING**
DEVELOPING	**PROLIFERATING**	**THRIVING**
ENLARGING	**RAISING**	**WAXING**
EXPANDING	**RISING**	**WIDENING**

JAPAN

5

```
I E S A S R A U H S N O H A P
K R C O K A Z U E H O N S H A
B Y O K O H A M A K E N V O V
U U U A T I K A S H O G U N E
D K K S T A B Z H O B I O A A
D Y H H R C Y F S F T E Y T
H U R H Z U N A H F O K O O B
I I O C D M I R P O A S J Y E
S S R S P A L M T E A U U E K
M L E O A S E N A K N V D T O
P A P R S K I J I G G O O J N
A N M U S H A H G G I K M Y O
S D E A S M I O E R Y R Q O M
E S K A D T R M L O D Q O M I
R E E I O A A W A N I K O L K
```

AKIHITO	**JUDO**	**OSAKA**
AKITA	**KIMONO**	**RYUKYU ISLANDS**
BOOK OF HAN	**KOBE**	**SAKE**
BUDDHISM	**KYOTO**	**SAMURAI**
CAPE NOMO	**KYUSHU**	**SHINTO**
EMPEROR	**OKAZU**	**SHOGUN**
HIROSHIMA	**OKINAWA**	**TOKYO**
HONSHU	**ORIGAMI**	**YOKOHAMA**

SPRING

```
C R E X W O L L I W Y S S U P
N O A O F L D A F F O D I L L
E C I N K H S E R F A L H A J
W E I I V S T O O H S E J M E
L Y R U E J U R E U E N H B F
I N T Q R O A S G N I R P S H
F O A E D M N N S L M O X L T
E I R C A T E R P I L L A R G
R T K U N S J M F S C S Y E E
E A H W T G R E E N E R H J P
W R T S R E V E F L M V A E I
F G W Y T S U G D G I A L N Y
V I O L E T S D M L O R R A O
T M R J P B U N N Y H Y P C C
Y X G H S P I L U T E M W A H
```

APRIL	**GREEN**	**NEW LIFE**
BUNNY	**GROWTH**	**PUDDLES**
CALVES	**GUSTY**	**PUSSY WILLOW**
CATERPILLAR	**LAMBS**	**SHOOTS**
DAFFODIL	**MARCH**	**SPRING**
EQUINOX	**MIGRATION**	**TULIPS**
FEVER	**NARCISSUS**	**VERDANT**
FRESH	**NESTS**	**VIOLETS**

CREATURES

```
T E I S A S O H T S A S M R R
R E U R A L I L O I E T D E E
E Z U N N P L R L L G E R E P
D N T F J E E I T I U E R D P
I A T A A C T R H C D R R N O
P P Y R O A U T V C E A W I H
S M W N L T R Q I A N I M E S
O I I P B W S K G N L I C R S
G H A U Y L A L E D A O H Y A
R C O S H I E L E H U J E C R
A I E P O B R B R G I F S R G
U P Y O C R E R A U S H R E W
A A S A P E Y R L E S Y O P A
E K E P S G T X R A S T H N N
E O T T E R H E G O H T R A W
```

ALPACA	GERBIL	SHREW
ARMADILLO	GRASSHOPPER	SPIDER
CHIMPANZEE	HORSE	STOAT
CHINCHILLA	OKAPI	TIGER
COUGAR	ORYX	TURTLE
COYPU	OTTER	WALRUS
EAGLE	REINDEER	WARTHOG
EARWIG	RHINOCEROS	WILDEBEEST

CREATURES' FEATURES

8

```
L L E H S U F N C A S W D A O
D E R A S L U O C O P G O Z P
S T O P S F R M R W A O H O Y
M U T Y P Z I A Y S W T N I L
E O C F I S G N A F S F A Y E
T M I K N P A E S C I E R A S
H N T E E F D E B B E W B Z E
O S G A S R U N D R A M B K L
R E P T T O S P G O A R A A M
A P O R E A N A N E I M J E U
X I P U H S Z I I S L L I B H
B R L N N C X L T E L E T M F
P T C K Q R U L S Y M I E O E
F S N O U T E O G S E L A C S
H A R E Y S H W P A N E S T D
```

BEAK	MANE	STING
BILL	PAWS	STRIPES
BRISTLES	POUCH	SUCKERS
COAT	SCALES	TAIL
COMB	SHELL	THORAX
FANGS	SNOUT	TRUNK
FINS	SPINES	WEBBED FEET
FUR	SPOTS	WOOL

9

```
Y E P L G D L U F D E E H R Y
M M G P E C R E A T I V I T Y
O Q N O I T N E T T A H I S A
D S I B E P T V A S E N N S C
S L R N P A U I E E I Y I E C
I U A A S O R G N F C R N N E
W F C S L I A M N G R A T I P
M T P E O R G I C I G A E P T
A H E S U U C H D H N O C P A
N G R O Q H L D T P Y E A A N
T U C P Q D A R G C G F P H C
R O V R Y U R A H K R O S O E
A H T U Z K I G V L E C F M T
B T T P I H T E S M N U M D S
H T M R A W Y R T H E S L W Y
```

ACCEPTANCE	HAPPINESS	PURPOSE
ATTENTION	HEEDFUL	QUIET
CARING	INFINITY	REGARD
CLARITY	INSIGHT	SOUL
COURAGE	LETTING GO	SPACE
CREATIVITY	MANTRA	THOUGHTFUL
ENERGY	OPENING UP	WARMTH
FOCUS	PEACE	WISDOM

BRIDGES

10

```
Q K S E R E V I R G N I L A B
H U M B E R H O U U W T B L L
A E E S U R A M A D U K R S V
Q T D E H F K I N T A I O W I
O A B Z N T O N E P W H A O Q
T G L E L S I R E E D U D R X
A N N F G K B L T X K F W R X
N E T Y N E L O I H U R A A R
I D N V T B M L R P Y I Y N U
M L O R R S E R G O U S E A H
A O B U E H I N I T Q C W M T
Q G C A J V A N C A A O T O O
Z K X O N Y E M G E L L S C K
E T J A G P E S P M U T Y A T
U S M A J C O F X D A D O T Q
```

BALING RIVER	**HUMBER**	**RIALTO**
BANPO	**JAMSU**	**SEVERN**
BROADWAY	**KAPELLBRUCKE**	**SURAMADU**
DEER ISLE	**KINTAI**	**TACOMA NARROWS**
FORTH	**KOTHUR**	**TSING MA**
FRISCO	**MINATO**	**TYNE**
GOLDEN GATE	**PEACE**	**VERESK**
HELIX	**QUEENSBORO**	**YANGPU**

MOUNTAINS

11

```
S O K E R I N C I S N A H A T
F R A S W C H C G E M O W R O
S D N A U G U S T U S A A A D
N I G H L O A H T E R N D R J
O T C X A G Y I J U F O Q A A
W T H N K T N A Y N E K Z T N
D E E C A B A R A Y A U B N N
O N N I M T P J I E U Y S D U
N A J N D Z I K L A O U A R F
Z Z U U O E C P O V R B E Y S
V I N S O N C B A B K M I O R
P F G R I Z H A L C C A H N R
U N A A T N U E C I L T M P U
S E E U L S A N A M A E I E F
H A Z A B R Z I E E N W Y P T
```

ADAMS	HUAYNA PICCHU	MERU
ARARAT	JANNU	SINAI
ATHOS	KAMET	SNOWDON
AUGUSTUS	KANGCHENJUNGA	TAHAN
CABARAYA	KENYA	TAMBUYUKON
EL CAPITAN	KERINCI	TEIDE
ELBRUS	MAKALU	VINSON
FUJI	MANASLU	ZANETTI

EXPLORATION AND DISCOVERY

12

```
N S L Y S L S V N O Z A M A L
E R E A F R K P F O R A T G I
S E V I T A N T I I A S S S T
N R A U V U E R T H C G S B I
A O R J C S E W I E S O E H H
S L T I I T R S A S A D N C A
B P B J N Z P O H E G P R G T
S X E I K A E H L R A R E A O
R E L G N U J B O I D S D C H
T K C I A A P I M T A B L I L
M M O I M Y R R R A M S I R U
O L G A P R O A R X Z N W F S
A J I R A S D V O G C E D A E
Y C O W N E W Z E A L A N D R
A E A S T E R I S L A N D C E
```

AFRICA	INCAS	TAHITI
AMAZON	JAMAICA	TRADE
CONGO	JUNGLE	TRAVEL
EASTER ISLAND	MADAGASCAR	UJIJI
EXPLORERS	NATIVES	VOYAGE
HAITI	NEW ZEALAND	WARRIOR
HARDSHIPS	SAILORS	WILDERNESS
HISPANIOLA	SPICES	ZAMBEZI

IN THE AIR

13

```
S C E B R E T P O C I L E H S
G R E M U F R E P D S M O K E
O C A R B O N D I O X I D E T
S E T M C E X E R M K S U I N
S T B K O A E Y T A D I N U E
O M E U C T V N G R P N T F T
U T E A B B H H I E N T V E N
N H E S M B L B S T N O H S E
D H A N G G L I D E R F M I C
W B E E L H N E M J C O E F S
A B A L Z S Y E C P G L G T A
V I E M E A N A G E W R M E C
E M E C P I H S R I A A I Z N
S O T E N A L P N N E M S C U
Y S H E N E S D N E S E T W V
```

AIRSHIP	**INSECTS**	**ROCKET**
BIRDS	**KITE**	**SCENT**
BLIMP	**MIST**	**SMELL**
BUBBLE	**MOTH**	**SMOG**
CARBON DIOXIDE	**NITROGEN**	**SMOKE**
HANG-GLIDER	**OXYGEN**	**SOUND WAVES**
HAZE	**PERFUME**	**STEAM**
HELICOPTER	**PLANE**	**WIND**

CLOUDS

14

```
W H E S U T A M M A M S I H F
A L T O S T R A T U S H M D A
C S I A L T O C U M U L U S L
I U H C I R R U S M T E Z O L
H L W M I A C O N T R A I L S
P U C J A G N I W O L L I B T
A M C O V R O Z B R C V N O R
R U I N N I E L S T O R M R E
G C N S I V Y S O H N S V E A
O O O U S A E P T R W T A D K
R R L E W Y R C S A D W O N S
O R C L E A D A T I I Y R U P
H I Y I K C A L B I W L H H E
S C C P F L U F F Y O N V T V
J E T S T R E A M C S N Q H T
```

ALTOCUMULUS	CYCLONIC	PILEUS
ALTOSTRATUS	FALL STREAKS	RAIN
BILLOWING	FLUFFY	SNOW
BLACK	HYDROLOGIC	STORM
CIRROCUMULUS	JET STREAM	THUNDER
CIRRUS	MAMMATUS	VIRGA
CONTRAILS	MARE'S TAIL	WHITE
CONVECTION	OROGRAPHIC	WISPY

"Peace can become
a lens through
which you see the
world. Be it. Live it.
Radiate it out. Peace
is an inside job."

Wayne Dyer

WIND

15

```
S M N K C E N I S M A H K C Z
I Y A W W R C J T F C B D A X
M L T D T H O R E N L F I L V
O R T K Z U I S O L Q K S I E
O E A H I L R R S F T O B M Z
M H M K R G S B L W U N G A D
A T R A A Y N A U W I A E D O
E R A D E T E I E L I N L G L
R O H B T R A S L R E N D F D
T N D Z R V T B A I O N D E R
S T A B R E I S A D A B C Z U
R T H E R M A L T T N V B E M
I M G L E I T T Z E I O E E S
A T Y P U E L C H E J C Z R P
O G Q Q E N A C I R R U H B P
```

AIRSTREAM	GENTLE	PUELCHE
BOREAS	HARMATTAN	SIMOOM
BREATH	HURRICANE	SOU'WESTER
BREEZE	JET STREAM	THERMAL
CALIMA	KATABATIC	TURBULENCE
CROSSWIND	KHAMSIN	WESTERLY
DOLDRUMS	NORTHERLY	WHIRLWIND
FORCE	PREVAILING	ZONDA

AROMATHERAPY

16

```
B E T H F W P E F X Y J O E A
Y D E N I I A M M E P N G G E
Q O P N T E I Y O L E N N N G
P O R U I M O H H E O U A A A
A W J E O R J T R M N T M R S
T E H S D O A G E I Y M D O Y
C S A D N N R T M L A E S R R
H O O Q Q E E M C L T G D C A
O R U T T J O V M E E S A A L
U I R N T R U O A Q N R I N C
L G I Y T K N N H L D A U M S
I W Z E M D Q V I A X C T A G
X L L E J U J U M P I A L K L
C L E Y A R R O W N E R O L I
E D R Y R A M E S O R R E L E
```

ALMOND	LAVENDER	ORANGE
CARDAMOM	MANGO	PATCHOULI
CLARY SAGE	MIMOSA	PEONY
ELEMI	MISTLETOE	ROSEMARY
IMMORTELLE	MYRRH	ROSEWOOD
JONQUIL	NECTARINE	THYME
JUNIPER	NEROLI	WINTERGREEN
LAUREL	NUTMEG	YARROW

HUES

17

```
Y X F E N D N A N C X G O F E
R U B Y T E L A V E N D E R U
O S N U G A E I Y X M B V P M
V I O R I B L R L C L E U N B
I N E M N A D O G A N J A D E
J A K D G U R S C I C D M S R
S H L C E A X K R O P L I A Y
A C I E R K B A P E H O Y B J
Q U N L Z J M B M H U C N U E
U X A E R A R A U Q N R E F V
O F U E R X H S R J N S U A E
I J Z T D S D U B A C L V S O
S C L S E A T T A Y I W J F T
S U B L O N D O D M G Z E O B
E A F P R A N O E L A E T W D
```

ANIL	GREEN	MAUVE
BLACK	HAZEL	RUBY
BLOND	IVORY	RUST
CHOCOLATE	JADE	STEEL
CYAN	JET	TEAL
FERN	LAVENDER	TURQUOISE
FLESH	LILAC	ULTRAMARINE
GINGER	LIME	UMBER

INDIAN TOWNS AND CITIES

18

```
B A N G T H A L D W A N I I O
I R U P A L O S L D A K J P R
L M F K L Y S U O M I A B A G
A T P O I E G F A T N S I R A
G T B H P N C D A A E G P S Y
C S W I A E A V P N A U I U G
F O M M R L A U I R T T E I R
R A I A A R N L H U A E Z T D
E T L M M E G V P P K P R A A
U E R A B N M T U L L H I P S
R Z V N A A Z R E A O G A U K
A P S S T K T A P B K R K R O
M U M B A I G O N A H D F I C
A R E Q Q R H Y R J U U M T H
J I N A A B I M E E R U T I I
```

AGRA	IMPHAL	PUNE
AMRAVATI	JABALPUR	RAIGARH
ANGUL	KOCHI	SANGLI
BHOPAL	KOHIMA	SITAPUR
COIMBATORE	KOLKATA	SOLAPUR
DAMAN	MEERUT	TALIPARAMBA
DISPUR	MUMBAI	TEZPUR
HALDWANI	PANAJI	TIRUPATI

RELAX

19

```
E D Z O T S E R A E K A T T E
Z N E O A C M P Y F M N B A S
O I R T O S Q B O E L O T K W
O W L U M Y E R R I S D E E O
N N O O E E T Y E S R O G I R
S U O L R Y N D E I S F P T D
B L S L W E O I C T K F T E X
W F E I C W N A G B U F C A R
F Z N H N E T L P A Q H L S Y
O K U C K N T E U C M E S Y T
S C P C A Y E L N K R I G X Y
Y D A P I L R E B M U L S E N
U L O R S T S I E S T A F L G
S C F Z N E T A N R E B I H Q
W P K L E D A Y D R E A M Q N
```

CATNAP	LIE DOWN	SLACKEN
CHILL OUT	LOOSEN UP	SLEEP
DAYDREAM	NOD OFF	SLUMBER
DOZE	RELAX	SNOOZE
DROWSE	REPOSE	TAKE A REST
FORTY WINKS	SHUT-EYE	TAKE IT EASY
HIBERNATE	SIESTA	UNBEND
IMAGINE	SIT BACK	UNWIND

20

```
K G U L K J H E R I S A G O E
R E K C E P D O O W W D W Q L
E L P A M M D D E O A L J S T
A L R I O T A R R E S R I T E
W Z T S T D O C U N A F E R E
L P S E B M D S A I G S H E B
B E A A A H S L K D L M C A D
S O R C G U M E W N I B E M R
H K Y R E G D A B A C W E W E
E S T M I Y N V F L H E B O Y
M D I R L U R E P E E R C L P
L M U L U S Q S I C N N T L O
O T O O W N M S E V E J L I N
C H L E R J K T R O Y Y U W A
K M U S H R O O M P A T H S C
```

BADGER	HEMLOCK	OWL
BEECH	HOLLY	PATHS
BEETLE	IVY	SQUIRREL
CANOPY	LEAVES	STREAM
CELANDINE	LICHEN	SYCAMORE
CREEPER	MAPLE	TRUNK
CROW	MOSSES	WILLOW
DEER	MUSHROOM	WOODPECKER

MADE OF WOOD

```
I I N D E R T C A S E K D E N
H R A T I U G E W B C T N E E
M P R K C A R E N I W Y A L S
T I J E U T O I P S A M I G R
T C R N P K B H A Z L A E G O
Y T E N H A T R Y I R A E H B
Z U L E C O P O C D S R A O Q
H R U L O Y W N N E X I W V R
T E R T L D E A L C E A L E A
O F N U E P H D S L T H N E F
M R G S R L A D D E R C C Y T
Z A K G R D B D P A E N F F M
P M X O A Y A A O U E S E F W
B E C L B P I Z T F E M F U A
B H W C E T E F I S H Y U N D
```

BARREL	GUITAR	PEW
CABIN	HANDRAIL	PICTURE FRAME
CHAIR	KENNEL	RAFT
CLOGS	LADDER	RULER
DESK	OARS	SEESAW
EASEL	PADDLE	TABLE
FENCE	PAPER	TOOTHPICK
GATE	PENCIL	WINE RACK

MOONS OF THE SOLAR SYSTEM

22

```
S U N C L U C E H F A R H A P
H A N A E H T L A M A S D E J
I R T S U D A L E C N E H J T
C O J N O T I R T N L L Y E I
E D P A L Y L D A Y N W P H T
R N D A M L D N Q E O H E D A
A A S Q E L O I D O R A R H N
N P C I D M H B D A E S I A E
U L R S E T O V E I B A O D R
L A E D A U E H N P O C N N E
S A S K I M R B H E T N D A I
R E S S U W I O E A A A E R D
D L I E R U H M P O S I Y I R
B F D B S U N A J A H B A M U
S I A R N A Q E Q U A P E R I
```

AMALTHEA	EUROPA	OBERON
ARIEL	HYPERION	PANDORA
ATLAS	JANUS	PHOEBE
BIANCA	LEDA	RHEA
CRESSIDA	LUNA	SIARNAQ
DESDEMONA	MIMAS	SKATHI
DIONE	MIRANDA	TITAN
ENCELADUS	NEREID	TRITON

ASTRONOMY

23

```
M W H I D M L K S Z A U I Z F
E X C H R I G R C N U B S D T
M U O S O L T P E N U U M E U
O Q P U X K H R R T N S N Y D
M M E N E Y J U V E S A N Y S
B O A A A W T Y V P L U T O Y
T V A R I A B L E P S A L O R
I E M U S Y T Q D W R L U C A
B A L P H A C E N T A U R I N
R R K E P Y R G M W T B G M I
O Y D H S S S X L O S E R S B
S R A L U C O N I B C N O O M
K S I E U R O P A R I O P C R
E M W O E V Y P M C W Z P C M
L P W W N D T L E L E Y C R R
```

ALPHA CENTAURI	MARS	RED PLANET
BINARY	MILKY WAY	SATURN
BINOCULARS	MOON	STARS
CLUSTER	NEBULA	SUNS
COMET	ORBIT	TELESCOPE
COSMIC	ORION	URANUS
EPOCH	PHASE	VARIABLE
EUROPA	PLUTO	VENUS

WALES

24

```
S N I A T N U O M K C A L B K
K S Y P I P H M W N D D E I Y
E E S A W A K F M A W E B G Y
E T B R Y N M A W R C G F W A
L A M P E T E R E I Y R H Y L
S L L L G R O P T J M K H N D
Y S H W D F O L D D R F M E E
I T E Y B W E I D A U A O D S
R N D A Y C A P E E H S R D C
T O R S I R R O C X C D K E C
C D F A L L A V E R B R E A D
S T T E N O F R A N R E A C A
E A T I R V W Y S U A U I Y H
D F A N H T E L L N Y H C A M
D F A R A N I R O G N A B B E
```

BANGOR	DYFED	POWYS
BARDS	GWENT	RHYL
BLACK MOUNTAINS	GWYNEDD	SHEEP
BRYNMAWR	LAMPETER	SLATE
CAERNARFON	LAVERBREAD	TAFF
CELTIC	LEEKS	TREFOR
CORRIS	MACHYNLLETH	USK
CYMRU	MAERDY	WREXHAM

POETS

25

```
I S C H E K V F G N E E R G R
N E T H O M A S C Y E W H E E
O B N T Y H A W G I V O S S I
T R P O E S S E S E A R R A L
R O G Y S A T N A K L R K I L
E F G O G M S H O H A R D Y I
T Y O I U O A D I R U D S I A
S N K A M A E D A A Y Q D W R
E Y A S H E H E A L U B V I R
H O J J I O C S M E E O U K E
C U Y D G H R O B O I M I J S
X E E G A M O U H H R N A T E
L U Z N G O F Z E A K R W I S
S O N G K M R A L S E B I O A
E V O D N A L B T T O C S S D
```

ADAMSON	FAHEY	MORRIS
BLAND	FORBES	MUIR
BYRON	FORCHE	ROWE
CHESTERTON	GREEN	SASSOON
CIARDI	HARDY	SCOTT
DE SOUZA	HOGG	SERRAILLIER
DOVE	KANT	TEASDALE
DOWNIE	MAGEE	THOMAS

BIRDS

26

```
E E B R I N N H H E K B O E B
K C K U A E L T T I L O Y M J
A A H O V N A W E K L C O M K
R P R A E L Y B B O H E M R E
C E R A E X E V E A L R O L D
N R V N V R O M F G E T A Y T
R C E Y G S S F A T S G F Y I
O A N A B W I E R S N E A B P
C I K R F N G A E I O N A H I
J L I V C R D K T S W A E S P
O L T H E W S H F K C R H E U
Y I E T K W G P M I O C H S E
L E Q U A I L Z A N C F U E S
M T R N N E E V O D K C O R A
E K A R D A H A K A K S E R Y
```

CAPERCAILLIE	GREBE	RAVEN
CHAFFINCH	HERON	RHEA
CORNCRAKE	HOBBY	ROCK DOVE
CRANE	KITE	ROOK
DARTER	LITTLE AUK	SISKIN
DRAKE	NIGHTINGALE	SNOWCOCK
EAGLE	PIPIT	STORK
EGRET	QUAIL	SWAN

ITALY

27

```
I F A S A Y H D N S E L P A N
A Z Z I P R D E R I R I Q R T
H N Z R R D R R T R R E C C R
A W N T G B E E A I I U B H E
N U U E R S M T S B Q M T I N
T A A O V E E U P G M P I A T
E I P G V A S N F A I O R N O
T R A A E Q R E I E D P L T I
N U S M L N S H D N C U P I T
U G T V I I O M X A E B A X A
O I A Q L L O A W P N P D U N
M L Q O J N A M R A P O P C O
J A M C T V E N I C E D C A C
T B R T N E B J N Y N K I C N
V R J A S O R E T N O M G T A
```

ACCONA DESERT	**MOLISE**	**PIZZA**
ANCONA	**MONTE ROSA**	**RAVENNA**
APPENINES	**MOUNT ETNA**	**RIMINI**
CHIANTI	**NAPLES**	**TIBER**
GENOA	**PADUA**	**TRENTO**
LIGURIA	**PARMA**	**TURIN**
LOMBARDY	**PASTA**	**UMBRIA**
MILAN	**PIEDMONT**	**VENICE**

DESERT ISLAND

28

```
C S S K N E T U J E L N W B T
E V E S E L B B E P U A P N F
J N B E S E S S A R G E J E A
D E S E R T E D G E H C E R R
U J N R K T K L K N B O A R Y
R U I E E L M C A S T A W A Y
D E E C A D E L H X C L U B Y
S U S G X R U E A R W A V E S
R S O C W J L T M P E G D F S
Z O H P U T B E I P W T N L E
N R I C E E Q E S L R J A U A
I H O R I V E R A K O M S W S
S C O C O N U T S C I S S N U
G H E I K C S K M N H L E T R
A R B E L S I J A I V H Y A F
```

ANIMALS	GRASSES	ROCKS
BARREN	LAGOON	SAND
BEACH	OCEAN	SEA SURF
BERRIES	PALM TREES	SHELTER
CASTAWAY	PEBBLES	SHIPWRECK
COCONUTS	RAFT	SOLITUDE
DESERTED	RESCUE	WATER
DUNES	RIVER	WAVES

SHELLS

29

```
D H C N O C E S E L K C O C T
D A V T I R E T L Q U I D P O
A Z V A S A D L U T N E L O S
H A O L U U T R L L E S S U M
T P S L I F R A I B O S T L L
I E D E C M V A S L I V M A X
R T N T R A P U H R L O K T R
E I S A U V L E T T R I T O N
C N G C Y I G D T U N Q A L Z
O I I N T T Q M M O R A B I E
N R G U B Z M R C T D B C W S
E C A R F U M M O S S Y A R K
V N Y T R A Y O W Z L I A N S
U E Y E L H T U C G A C O R U
D I X C B H I L E K F R C O U
```

CANTHARUS	LIMPET	SNAIL
CERITH	MORUM	SOLEN
CLAM	MOSSY ARK	STAR
COCKLE	MUREX	TOOTH
CONCH	MUSSEL	TRITON
CONE	NAUTILUS	TRUNCATELLA
DRILLIA	RAZOR	TURBAN
ENCRINITE	RISSO	VOLUTE

FRIENDLY WORDS

30

```
C P C N E D A R M O C L Y N L
O A R N W W E C E R J A N Z S
H R H I O T H A E E C R O M S
O T J L S A L O C Q L E R J Q
R N L I M T T I U O E H C E T
T E S P E P L A Y M A T E T B
F R I R E P I A W U P O G N K
V O E L M N L A I H B R F A C
N G I O T I F Y N C N B A D I
O G C A S L D R A L L Y M I K
I C N T I D O J I A I K I F E
A C T Y U X X V M E D M L N D
E W M B G T K I E A N G I O I
C O L L E A G U E R H D A C S
V R E T R O P P U S E R R E D
```

ACCOMPLICE	CHUM	LOVER
ACQUAINTANCE	COHORT	LOYALIST
ALLY	COLLEAGUE	PARTNER
ALTER EGO	COMRADE	PEN FRIEND
AMIGO	CONFIDANTE	PLAYMATE
BROTHER	CRONY	SIDEKICK
BUDDY	FAMILIAR	SISTER
CHAMPION	FELLOW	SUPPORTER

"In nature, nothing is perfect and everything is perfect. Trees can be contorted, bent in weird ways, and they're still beautiful."

Alice Walker

SWISS PLACE NAMES

31

```
O B E R A H R E Y W E C I V C
N T N E L L A G T K N A S I A
E E K V I W U X E B N C E R N
N F B M M Z F R O D T L A E Y
N S Z A M Z F V E J D A V O S
U R R A A E A R C L G A A S E
S U E L T U M L H E A R L Z G
J O G B D A O O U S X G A W K
K R T V T C F H R A S A I H S
D L F T A V J R B B K U S U C
O P O R R E N T R U Y O E J H
Y C N T M W A S S E N R N R W
R O P U E S M D A F S E T I Y
A T S A H N I D W A L D E N Z
N E Y G V T H H C S E I F G S
```

AARGAU	**FIESCH**	**REUSS**
ALTDORF	**JURA**	**SANKT GALLEN**
ANDERMATT	**KLOTEN**	**SCHWYZ**
BASEL	**KONIZ**	**THUN**
BERN	**LIMMAT**	**VALAIS**
BEX	**LOCARNO**	**VAUD**
CHUR	**NIDWALDEN**	**WASSEN**
DAVOS	**PORRENTRUY**	**ZUG**

32

```
K R O W N F V P A G N N S S I
R K A E F E N O H F R E T U H
P S A R H H S O L O Q U H O B
D N D F E T U L B L N F G T I
I W L S A S T S P V G N U N Q
A O E R H N P S U O M O L W U
T R K S A I H C O O T I F O R
O B E K K M N I V C R T Y D C
M I U E S E F E F I E A E U L
A O Q C A M R N A Z M T K R O
C E T E F L R C L Q O S E D S
E T V H I E U E L W R V S G E
O E U G E H N O A G L I O H T
U A H G C R S R Y J G J S U U
S T A I U Q D U I N E K A U Q
```

BORN	LOOP	SHINE
BROWN	MOTHER	SIGN
CLOSET	MOVER	SPIKE
COST THE	NUTS	STAR
DIATOMACEOUS	POTTER'S	STATION
DOWN TO	QUAKE	TREMOR
FALL	RARE	WARD
LIGHT	SCIENCE	WORK

HAPPY

33

```
T N A T L U X E R Y L L O J M
G N I L I M S E A T Y G C P C
D P E N I N D U O L C N O P D
Y O T N A R E B U X E E N L E
S R H F A S C C U N L B T U S
U Z R S P O C I I A A W E F S
O O I E A T V U T J O M N E E
R U L G M E P E G A O O T E L
U W L H R B D M R G T Y D L B
T P E A E I J E P J S S F G G
P P D A I O N E S Y O S C U I
A W T F C V R N H A K Y L E L
R M N U A K O A I A E C E K B
W M N D Y Z L J F N V L U D F
R D E I F I T A R G G W P L X
```

BLESSED	GRINNING	OVERJOYED
CONTENT	JOCUND	PERKY
ECSTATIC	JOLLY	PLEASED
ELATED	JOVIAL	RAPTUROUS
EXUBERANT	JOYFUL	SMILING
EXULTANT	LUCKY	SUNNY
GLEEFUL	MERRY	THRILLED
GRATIFIED	ON CLOUD NINE	UPBEAT

WORDS STARTING SUN

34

```
S U N E R E W O L F N U S U S E
E S U N R O O M S U N B U R N
S A O S U N S S O R I N U S E
S U D T S U N W O R S H I P S
S U N N S U N L I G H T U U U
I U N D U E M S U T N S N W N
S N N B R S I U N S E D S E G
U E N F E Y S N U H O S U D L
N K U U I A C T N G U U N N A
L N S U N S M R A U Z N H U S
A U S U N S H A D E S D A S S
M S N U S S A P N U S A T U E
P O S U N D A N C E E Y S B S
D R I B N U S D E K A B N U S
S U D E H C N E R D N U S S S
```

SUN DANCE	SUNDAE	SUNKEN
SUN DOG	SUNDAY	SUNLAMP
SUN HAT	SUNDEW	SUNLIGHT
SUN WORSHIP	SUN-DRENCHED	SUNNIEST
SUNBAKED	SUNDRY	SUNROOM
SUNBEAM	SUNFISH	SUNSET
SUNBIRD	SUNFLOWER	SUNSHADE
SUNBURN	SUNGLASSES	SUNTRAP

GARDEN POND

```
E D O O U B O M N F H M K V N
H R M R S W U Z H G A V I T Y
S F Y T T J G L S I Y I X M K
M E W M N R E P R E I R R U J
A E G R A S S E S U V J S U Y
N H I V L G T B D T S L D C Y
G X E A P C O B H A K H A A U
N L R J A C D L H T C Z O V R
I R E B H W E E D S O E T G I
B C M P L P U S P E R P N K P
U R M M I N N O W T N U U S P
T Y I E R Z N W O Z H O B H L
N U K D H Y L F N O G A R D E
U W S U G T I N F V L B J F E
O B T K R E T A K S D N O P E
```

BACTERIA	MINNOW	SKIMMER
BRIDGE	NEWTS	SLABS
BULRUSH	NYMPH	STATUE
DEPTH	PEBBLES	TOADS
DRAGONFLY	PLANTS	TUBING
GOLDEN ORFE	POND SKATER	VACUUM
GRASSES	RIPPLE	VALVES
GRAVEL	ROCKS	WEEDS

GARDENING

```
S I J T C T Y R A I P O T E H
O Y N E S R R Y U H B L M E V
W L N C E O N I N Q E I N G E
R E L L I D R X M Z L E L N R
E V P S R N O F A M L A B I V
O A B E H Q E H I V I E I G A
M R Z S D E E R H G S N P A I
W G G N O M E A A E S E G T N
N R Y N L Y C L B T A E U S H
E R F O B Y F O B W O L Q N W
C A C I W R S I W O R R A M I
T K F E Z E F V S E S S A R G
R E F O S J J S A L J W A B E
A S I O R G F O L I A G E M H
N A R H C K P G P I L S W O C
```

BELLIS	**GRASSES**	**REEDS**
COWSLIP	**GRAVEL**	**ROSES**
DILL	**HAZEL**	**SALSIFY**
FIGS	**HEMLOCK**	**STAGING**
FOLIAGE	**INCINERATOR**	**TOPIARY**
FORK	**LIME**	**TRIMMING**
FROST	**MAPLE**	**VERVAIN**
GNOME	**RAKES**	**VIOLA**

GEMSTONES

```
J E E T I R D N A X E L A K M
S A R D O N Y X D L A R E M E
P C X U O E R Z T R A U Q S E
E V H M H T S A V O L I T E T
R Z A A B J A C I N T H N T I
I I T L L K O C A E Y O R I N
D R S A E C L L E P T D T N E
O C Y C N C E C I S O E I A D
T O H H E T L D N V N L E T D
L N T I H E C O O R I N I I I
E A E T P R O I A N T N P T H
N U M E S M Q G U L Y O E T E
I R A B A E T I Z N U K F E R
P P Y D E R E R I H P P A S A
S V T O U R M A L I N E O M P
```

ALEXANDRITE	JACINTH	SARDONYX
AMBER	KUNZITE	SCAPOLITE
AMETHYST	MALACHITE	SPHENE
CHALCEDONY	MOONSTONE	SPINEL
DIAMOND	OLIVINE	TITANITE
EMERALD	PERIDOT	TOURMALINE
GARNET	QUARTZ	TSAVOLITE
HIDDENITE	SAPPHIRE	ZIRCON

SCULPTORS

38

```
A M U P U A N N I E T S P E Y
F U O N A N N N Y O E D E Y V
I T T O C S O F O H O N T G E
S T R A R G D S N C W E L N C
G O R M L E Y M L I A H F O L
R E K U L V K N N E A B F L B
E S O P G Y T I I I V P I E V
D E J N P R L K D E M E R Y U
L G E E A L U R M E W G N A L
A A H U E S A B K R I S A N O
C L T C Q G I J N E B L O Y E
A S D E L H A P R E H F T K S
W C R A G G D P H I D I A S D
I S Q G Y T S G N I D L I W A
O N O G U C H I C Y S C O R T
```

ALGARDI	**EPSTEIN**	**PHIDIAS**
BACON	**GORMLEY**	**PISANO**
BERGIER	**KEMPF**	**PYE**
BLOYE	**LONG**	**SCOTT**
CALDER	**MOORE**	**SEGAL**
CELLINI	**NEVELSON**	**STUART**
CRAGG	**NOGUCHI**	**WEIN**
DAY	**OLDENBURG**	**WILDING**

CHRISTMAS

39

```
C E B A D P S L M Y O S G U E
L R E A E W L B E L L S C A X
R A I B O I K B A O A C H E T
E D K B W I D B J H H R R E S
P A E D E R E T N I W Q I I Y
A Y O E M L J S G U G R S W O
P O R E S N O B B I R R T Z T
G S H I W V H O L L Y O M Y F
N Y L T K W Y T A E S W A O O
I R B O N R D T L L U T S R K
P R A K R E N B P N S I D S C
P E J G S A A P P L E S A E A
A H M O S T C Z K B J F Y B S
R S O L S H S K C A S P A R E
W G H D A G C E A G A A G B N
```

APPLES	**GOLD**	**RIBBON**
BELLS	**GOODWILL**	**SACK OF TOYS**
BOWS	**GOOSE**	**SANTA**
CANDY	**HALO**	**SHERRY**
CAROLS	**HOLLY**	**STABLE**
CASPAR	**HOLY**	**WINTER**
CHRISTMAS DAY	**JESUS**	**WRAPPING PAPER**
CRIB	**LABELS**	**WREATH**

THINGS WE LOVE

40

```
S S S L O R A C Y Q S E R S S
E G S L R Y T N I U D S A E Z
I O D N R T N C N S A D I I S
L D G Y O A E S P N U P N V A
F T N N R I H D D E P M D O M
R O I G I I N C D U L J R M T
E H K M N M A O P Y R R O D S
T Q L E G S M Y D C B R P L I
T T A F T H Y I L E S E S O R
U I W L S W P C W L I D A W H
B U E O Z S T N E S E R P R C
S S L W T I U R F C X J F D S
V C S E S R O H S T O R I E S
O N E R D L I H C I Y F Y Q I
K H R S G N I D D E W U Y Q N
```

BUTTERFLIES	**HORSES**	**ROSES**
CAROLS	**HOT DOGS**	**SANDCASTLES**
CHILDREN	**JELLY**	**STORIES**
CHRISTMAS	**MUSIC**	**SUNSHINE**
FLOWERS	**OLD MOVIES**	**SWIMMING**
FRIED ONIONS	**PRESENTS**	**TEDDY BEARS**
FRUIT	**PUPPIES**	**WALKING**
GRANNY	**RAINDROPS**	**WEDDINGS**

FARM ANIMALS

41

```
S E V L A C N G U C L C P N T
G A O T S B A W H I O I W J H
S E B Z G N B I M C G O A T S
L E O E D U C X K L A G Q E Y
A C A E L K V E E E X Z U G K
O R R L E K R T E T L Q A I F
F S S N H E S S C D S T T S B
A J S Z L E E F S A R T T G T
H C G S S E S Z M F E A L A O
O W S B G J P A V N L D K G C
R L H M W S L M S L M T J E L
S S B M A L A C I H D U C K S
E E J P Q R G O S L I N G S S
S U W U W L N Q S K C I H C F
N Z Z E X S E I N O P E E H S
```

BOARS	DUCKS	KITTENS
BULLS	EWES	LAMBS
CALVES	FOALS	LLAMAS
CATTLE	GANDERS	PIGLETS
CHICKENS	GEESE	PONIES
CHICKS	GOATS	RAMS
COCKERELS	GOSLINGS	SHEEP
DRAKES	HORSES	STALLIONS

SCOTLAND

42

```
S E H B A N C H O R Y S B A N
I N L E L S D E K I N N S E L
V A M E N N P S I R X N I S F
E F I F C T D O U L A T G O R
N E P O H N E B R I I G G U O
N S E U A T Q W P R L D A N Y
E W R L I L N M E E A N H D B
B S W E S A A E N K N N U O R
O O A E O R X L B A Q N R F I
L R H X G X U V N X D D I S D
U Y K Y L C R A C E E S G L G
U Y H N E W T I E R L P C E E
G I L Y E W O G S A L G E A O
W A U H X Y B N Y V G A Z T R
Y O R B O R T L I K A R R I S
```

ANNAN	FIFE	MELVAIG
BANCHORY	GLASGOW	ORKNEY
BEN HOPE	GLENLUCE	ROB ROY
BEN NEVIS	GRAMPIAN	ROYBRIDGE
BORDERS	HAGGIS	SOUND OF SLEAT
BURNS	ISLAY	SPORRAN
CEILIDH	KILT	THURSO
DUNDEE	LOWLANDS	TIREE

WORLD HERITAGE SITES

```
P N S N I V A H C A D A S A M
E M E D I N A O F F E Z D V H
R S O Y C I T C H A N K A L A
S A O U I B Y H A T R A B P B
E S J H N E M R U T D A G B Y
P Y E N C T H B H T U E I M B
O M O F A P W N P I I S L S L
L Q U A N E M U B A O Y N O O
I W X S W Y B F T T D E A R S
S A N Y K G R F U A P E T R A
A D I T T A Y N Q T I M G A D
V I Y A A W G G N A G S L T A
L R U T R O G T T I P A S A C
E U Y R H I E C F A N G K O R
J M H O S E N D E R H A R E S
```

ABU MENA	DELOS	PETRA
AKSUM	HATRA	SGANG GWAAY
ANGKOR	ITCHAN KALA	TIMGAD
ANJAR	MASADA	TIPASA
BISOTUN	MEDINA OF FEZ	TIYA
BRYGGEN	MOUNT WUTAI	TYRE
BYBLOS	NEMRUT DAG	WADI RUM
CHAVIN	PERSEPOLIS	YIN XU

44

```
A A L A N D I R L Y E K R U T
I S D R B E A H A P O L N E F
R E S A A C U D M A R E A E N
E E C I N N S U R P Y C D O Y
Z B U L G A R I A G I L R E W
A R A A L R C R Z W A W O K N
I B R R A F E A D A B J N D
K Y H A D K O L M Y E L O O N
A E N D E L A A B E M A F N A
V M A N S M L N I A A N O A L
O B Y A H A I D A R N D I B I
L A Y L A M A N A P I I B E Z
S D E N M A R K D I R Q A L A
M E X I C O R O D A U C E A W
S T E F I N D E N E S B E R S
```

ALBANIA	**FRANCE**	**MEXICO**
BANGLADESH	**GABON**	**NORWAY**
BULGARIA	**HUNGARY**	**PANAMA**
CANADA	**IRELAND**	**SLOVAKIA**
CYPRUS	**JORDAN**	**SURINAME**
DENMARK	**KENYA**	**SWAZILAND**
ECUADOR	**LEBANON**	**TURKEY**
FINLAND	**MALAWI**	**ZAMBIA**

"All journeys have secret destinations of which the traveller is unaware."

Martin Buber

PARIS METRO STATIONS

```
E E M I R C O Y T L T E W C E
B G Y S I O H C E D E T R O P
U E U L J N C R R D M O A U C
N O S O M P V E N K P O S R J
A R R I R B W B E S L M P O B
D G E W H U W A S Y E F A N W
A E H O J X A R G E N T I N E
U V C B A Z K E A R I B L E N
M H I O S Y A O T N A B Q S S
E H A U M B S N L A E M F U W
S V R R I M O S E W H L P K C
N V A S N I E O A S Q C A R K
I P M E T G R R U P I D X G Q
L K M A U A R Y C P P H R J H
H K N R A M B U T E A U S K K
```

ARGENTINE	DAUMESNIL	PORTE DE CHOISY
BERCY	GEORGE V	RAMBUTEAU
BOURSE	HOCHE	RANELAGH
CHATEAU ROUGE	JASMIN	RASPAIL
COMMERCE	MARAICHERS	SEGUR
COURONNES	NATION	TEMPLE
CRIMEE	PASSY	TERNES
DANUBE	PICPUS	WAGRAM

RAINY DAY

46

```
R E P A K S A S E D U C G U G
S S E N T E W G A W A N O R Z
Y E X O S Q U A L L I M A N O
J F R E I L A P T L C I P D U
H M L F E L U E K A N O R A K
U S W D D E N S I S E S V H
M J A G D M I O N D N D H S T
B A K L I R D G U C K T O M S
R T E N P D J O H D O T W O N
E E G S E S L I L R N B E N C
L K N N L C N W R I D J R S R
L C M A T G A E K Z I A E O E
A A E T I C N C A Z Z L E O S
U J Z G N T A O I L S K I N S
D O O H G M Z A L E J U C E A
```

ANORAK	MACKINTOSH	SPLASH
CLOUDS	MONSOON	SPRINKLING
DAMP	OILSKINS	SQUALL
DELUGE	PELTING	STORM
DRENCHING	PUDDLE	TEEMING
DRIZZLE	RAINING	TORRENT
HOOD	SHOWER	UMBRELLA
JACKET	SODDEN	WETNESS

STORMY WEATHER

47

```
T L X T S U O U T S E P M E T
N I M O P P R E S S I V E O Y
R G S R E W O H S T C Q J C M
K H R N U K Z V D J F D E J O
T T H A U G F O E I V H A E O
Y N Y D I R W T O R R E N T L
P I T O T N E M E L C N I Y G
H N Z W P Z D G N I G A R R Y
O G W O I D A R K N E S S E L
O L U M O N S O O N H D N T L
N R V O Y G D V B P J E C S A
Y Z E E R B E Y W G S L P U U
S O Q J V S S E N L L U D L Q
Y D A R K C L O U D S G T B S
J B Z O E L Z Z I R D E S I Q
```

BLUSTERY	GLOOMY	ROUGH
BREEZY	INCLEMENT	SHOWERS
DARK CLOUDS	LIGHTNING	SQUALLY
DARKNESS	MONSOON	TEMPESTUOUS
DELUGE	OPPRESSIVE	TORNADO
DOWNPOUR	OVERCAST	TORRENT
DRIZZLE	RAGING	TYPHOON
DULLNESS	RAINDROPS	WINDY

ELEMENTS

48

```
F I U M M U I N I L O D A G M
A D H E O W O I N X M C A T T
V O A S V C E K Y U T L H I P
R N U E I S I G I I N E M I N
M E G L L V E M N S L S A B N
U K I E P N R I A I B R R G M
I S O N R E U M U A E O F U U
V T S I F M A M U L M F L C I
E R M U O R A A U I C Z O U D
L A I M I D N N N I D O W R A
E R U U A J I E I R H A S I N
D G M R A D O N M U L T R U A
N O B R A C V E E I M I I M V
E N I T R O G E N P Y U L L U
M U I T E N H C E T L M A D M
```

ACTINIUM	**HELIUM**	**RADIUM**
ARGON	**IODINE**	**RADON**
BROMINE	**LEAD**	**SAMARIUM**
CARBON	**LITHIUM**	**SELENIUM**
CURIUM	**MENDELEVIUM**	**SILICON**
FERMIUM	**NITROGEN**	**TECHNETIUM**
GADOLINIUM	**OSMIUM**	**VANADIUM**
GERMANIUM	**OXYGEN**	**WOLFRAM**

MOUNTAIN RANGES

49

```
V A L A H M L D S N A D Y G E
E S P E L H A M E I U R G P K
C A R E B L R T R S V R U R H
A A M A R O A E R S N A A G I
R H J T U D M C A O N Z D L V
M M R J C Z I B D K O E A E S
E T U S E P E S O A M L L L T
L R P A M I R S C B T C U Y E
A A B Y I M R L R A Y A P F F
N L L I R C A T I J A B E P N
D O G R I K L H S A R E Z I J
A L S A R A U T T I U A E N T
D E H L G Y S G A E K V Y D U
A E M A E T N W L S K C B U T
L M A H G N I N N U C B C S E
```

ALTAI	GYDAN	NELSON
AMARO	INSULAR	OLYMPIC
BAKOSSI	JIZERA	OZARK
BRUCE	JURA	PAMIRS
CARMEL	KURAY	PELHAM
CUNNINGHAM	LARAMIE	PINDUS
DAVIS	LEBOMBO	SERRA DO CRISTAL
GUADALUPE	MCKAY	URALS

ISLANDS OF BRITAIN

50

```
C Y E N K R O R O N S A Y R X
H A Y L I N G A V N U E A Z Y
L B R O W N S E A J A T B E D
Z R Y E S E L G N A H R P Y E
Y A X M H U A L U L S P R U N
E L P T E Y I L I Y E C A A R
S D Y T O S R N T H V A R L A
N E E H M S H B S I I L U B F
R R S O F J Y F D O R L J S S
E N R S W U O R K M U E N F I
U E E J K E A X A N L S E U D
G Y J Y L Y C O D M A I H R N
Q Q H S H R E Y E N T T M Z I
Y I I A N N A C D F Z S W E L
K R A S W S T A G N E S G Y A
```

ALDERNEY	HAYLING	ORONSAY
ANGLESEY	ISLE OF SHEPPEY	RATHLIN
ARRAN	JERSEY	SANDA
BROWNSEA	JURA	SARK
BRYHER	LINDISFARNE	SKYE
CANNA	LISMORE	ST AGNES
FURZEY	LUNDY	ST MARY'S
GUERNSEY	ORKNEY	TIREE

BIRDS OF PREY

51

```
M T E D K B U S A M K J Y D A
E L E R T S E K F E R E K R Z
R L R B A R N O W L R E W A A
L E I E A G L E G P L R A R B
I S G S I Y T O S K H U H A R
N A W E H E S O Y T F T H C O
A W R O A H G G N A I L S A D
R R B K A J R R L O W U I R N
P B S W I E M C E M F V F A O
Y J K E I H O Y N M A F T C C
J J C R B N S E I W M K I T E
W O R C N O I R R A C A Y R K
B A C U C T A W N Y O W L S G
H S T A K W A H W O R R A P S
K W A H N E K C I H C U V X V
```

BARN OWL	**FALCON**	**KITE**
BAZA	**FISH HAWK**	**LAMMERGEIER**
BESRA	**GOSHAWK**	**MERLIN**
CARACARA	**GRIFFON**	**OSPREY**
CARRION CROW	**HARRIER**	**SHIKRA**
CHICKEN HAWK	**HOBBY**	**SPARROWHAWK**
CONDOR	**JAEGER**	**TAWNY OWL**
EAGLE	**KESTREL**	**VULTURE**

HORSES

```
T E A R E D B A H S V B I R E
K A R F E O A E W E N I U Q E
P M N A E T R Z J L A I U E H
P A L O M I N O A D O A E S V
C I C E H U X U Q D R H N R S
S F K S G X L O H A A K J O H
H E A S T A B L E S V R N H O
R T V W E Y S N R W S O A P W
D E R O A S A S G S I E D G I
B A H I O M Z D E L A M H N N
A T G S G H Z N L R F A N J G
Y Y I R E G R A H C D C F W L
A T E B N A T H Y N O P Y A C
I Z N F H S C A E L A X O S P
T U R E A S E R T N E F O L T
```

BAY	HARNESS	PONY
BIT	HOOVES	REINS
CHARGER	HORSE	ROAN
COLT	HUNTER	SADDLE
DRESSAGE	MANE	SHIRE
EQUINE	MARE	SHOWING
FOAL	NEIGH	STABLE
GIRTH	PALOMINO	STALLION

ANIMALS' YOUNG

```
P L I M L U M B R R E K G P T
T E S A J D U C K L I N G E L
E J T G W R P U P P Y H R F E
N P E T G C H I C K A E L A E
G K K E R H F W H T V E F R L
Y V C L G O H E C E D I C R V
C L A L K E P H L G E R A O E
G E J U L S L T L O I M Y W R
A R R P D I K I O A P E W V G
K E E H N N N R U G A D D L O
I K H G G S X E R G Z A F S
T C T B V S U M L L K A I T L
T I A Y E O W I O S G L M E I
E P E B A R N O V L L I K K N
N O L P I G L E T Y T O P A G
```

CHICK	GOSLING	PICKEREL
CRIA	GRUB	PIGLET
CYGNET	HATCHLING	PULLET
DUCKLING	KID	PUPPY
ELVER	KITTEN	SMOLT
FARROW	LEATHERJACKET	TADPOLE
FILLY	LEVERET	WHELP
FLEDGLING	MAGGOT	YEARLING

53

MAGICAL

```
S L U E E R I E L L L Y F J L
I N I F L E P U A I A L D A A
A R B E L R F E M R G D E M R
E T M T E I D O T P P R T W U
Y C P T C I F I N L N A N W T
R E E N C G F A A U K Z E Y A
A N A N F I N C B C B I V R N
D F C F C A I I B U R W N A R
N X P I G H I Y H D L I I N E
E S A X T H A R N C U O K O P
G L C Y B N O N Y N T C U I U
E N M H A H A S T L A I E S S
L D R E A M Y M T I I C W I G
E V I T A E R C O L N K N V I
I J E E F A Y E N R Y G E U F
```

ARTIFICIAL	FANCIFUL	ROMANTIC
CREATIVE	FEY	SUPERNATURAL
DREAMY	GHOSTLY	UNCANNY
EERIE	IDEAL	UNREAL
ELFIN	INVENTED	VISIONARY
ENCHANTING	LEGENDARY	WEIRD
FABULOUS	MYTHICAL	WITCHING
FAIRYLIKE	PRETEND	WIZARDLY

ISLANDS OF THE PACIFIC

55

```
I S I L L A W S U K I J I W M
J I N I A U I P T S Y C U A C
I A P U K A P U K A N A U R U
F N E S E D T A H V R G U A E
W A W B R E N N E L L B M M J
N L O I J T I K N B V U U S R
M E H X O H L O D J R S E C Z
E X D N A Q F T E U F R D L K
A C R L A F D S R U A S S A N
H P O I A H F O S M I D W A Y
P A L A U M A V O U H I O A Z
L B Y M E N E W N Y I O E R O
K A S O I A I H A B A N A B Z
R E V U O C N A V I D M I H E
O V O R O R A M U K I N M V U
```

BANABA	**LORD HOWE**	**PALAU**
FIJI	**MALDEN**	**PUKAPUKA**
FLINT	**MIDWAY**	**RENNELL**
GUAM	**MURUROA**	**SERAM**
HAWAII	**NASSAU**	**STARBUCK**
HENDERSON	**NAURU**	**VANCOUVER**
KANTON	**NIKUMARORO**	**VOSTOK**
LANAI	**OAHU**	**WALLIS**

SPRING BOUQUET

56

```
S F E V O L G X O F H Q D J A
U R F T P I L S W O C T R A I
C I J O J H E L L E B O R E S
O T R N S G K Z J R G O E S E
R I A E M U S C A R I F Y N E
C L M M D B S L Y F Q S Z O R
E L S T P C U S I R N T H W F
N A O E R C A Y I A N L Y D L
O R N G I H C M P C L O A R I
M Y S R M S V M P E R C C O D
E F U O R C H I B I T A I P O
N A U F O I F E O U O X N E F
A O Y R S L U J L L G N T M F
M C A M E L L I A A A E Z H A A
S A M S B A P Q U I J T M C D
```

ANEMONE	FORGET-ME-NOT	PANSY
AURICULA	FOXGLOVE	PRIMROSE
BLUEBELL	FREESIA	RAMSONS
CAMELLIA	FRITILLARY	RED CAMPION
COLTSFOOT	HELLEBORE	SCILLA
COWSLIP	HYACINTH	SNOWDROP
CROCUS	MUSCARI	TULIP
DAFFODIL	NARCISSUS	VIOLET

GROW AND GROW

57

```
I C A L P S E V E R A N H N E
E T A L I D T M O W E N T B S
O P U S H O O T U P T T V F A
Q M C W N E D I W S D B E V E
P E P E W G X B N E H Y H S R
C L L L Z Z G P D E F R I T C
R B R L E A C O A I D A O U N
M U L T I P L Y N N R A D O I
C O U E L P S G D E D N O E M
E D W X X U A U L E E N G R N
K A G E R M I N A T E R F A B
X P V G K M T Y X F A P T L S
E L E V A T E E B L T P E F I
D A E R P S M Z N B H Y L N L
T U S T H G I E H N I A G I E
```

BROADEN	EXTEND	PLUMP
DEEPEN	FLARE OUT	RAISE
DILATE	GAIN HEIGHT	SHOOT UP
DOUBLE	GERMINATE	SPREAD
ELEVATE	INCREASE	SURGE
ENLARGE	MAGNIFY	SWELL
EXPAND	MULTIPLY	WAX
EXPLODE	MUSHROOM	WIDEN

GREECE

58

```
R M N O N E H T R A P B I F Y
R E T S L F E F Z L L K S S A
D Z Y O S I E D E A A N A U M
S E N X R L V A U R K Z F E O
O O A A E Y T E S P A R T A D
L R H N E H S O S S O N K R Y
L Y Z T E G M S O C Q J W I S
O G L N A C E L U A O B R P S
P U S G H T Y A Z R Z S S H E
A E U G D M N M R Q U P A T U
C E L G P N G U H B O C E W S
J A N I S T E R O J L R I I V
L H A E J V B R D M C C A P P
P H I T H A C A E C A R H T E
E P S I D O R M S Y J V V A M
```

AEGEAN	MOUNT ATHOS	PIRAEUS
APOLLO	MYCENAE	PLAKA
ATHENS	NAXOS	RAKI
CORFU	ODYSSEUS	RETSINA
CRETE	OLIVES	RHODES
EPICURUS	OLYMPIA	SPARTA
ITHACA	OUZO	THRACE
KNOSSOS	PARTHENON	ZEUS

59

```
E B A I F O S A N I E R S N L
P R E B A H V L E G D A R O O
A C N A M A L A S F N A W G R
C O A S A S O B L S D L F A C
D E V M E B R O E T T L M R A
Z G A D O Q M B W O J E A A S
O I C R W N A B S L S A L S T
J R U V A S A S Y E T P A D A
A O C M T O A S V D U N G E N
D N C I K C D I T O G I A C E
A A A J I D L E A R C C A A T
B N Z P F L O G I V E Z B D S
E H W C E X U A B V I L D I X
H A N D R T E S E B O Z L Z E
E T E M P R A N I L L O D A L
```

ARAGON	GIRONA	REINA SOFIA
BADAJOZ	IBIZA	SALAMANCA
BOBAL	LORCA	SAN SEBASTIAN
CADIZ	MALAGA	SANGRIA
CASTANETS	MONASTRELL	SEVILLE
CAVA	OVIEDO	TEMPRANILLO
DOURO	PAELLA	TOLEDO
EBRO	PICASSO	VIGO

DANCES

60

```
L H N O Z N A P E M B C P E J
Y O A R T O S E R I U A O P E
M K C M L F U B C O N F A T H
M E N E A U L A H D N G R U I
I Y A N W Z H X K S Y D I U E
H C C K O C U S O L H X E J G
S O G M A T J R V V O M U A L
S K B H N Q S R K Y P P B I U
T E C O P W Y E W A B M M O B
O Y C G O E O L L O U J K C P
R O O S C G I D L R I F O L I
T I N C A M I E E V A N J G C
X J N E B V R E E O G H P G P
O X S O R O L E K A H S C I G
F N E L Y T S M A N G N A G T
```

BOLERO	**FOXTROT**	**MAZURKA**
BOOGIE	**FRUG**	**POLKA**
BOP	**GANGNAM STYLE**	**REEL**
BUNNY HOP	**HOEDOWN**	**RONDEAU**
CANCAN	**HOKEY-COKEY**	**RUMBA**
CHA-CHA	**JIG**	**SHAKE**
CHARLESTON	**JIVE**	**SHIMMY**
CONGA	**LIMBO**	**WALTZ**

BALLETS

61

```
K Z E R E D A Y A B A L C S C
L U T E X S W A N L A K E I X
E A J D Q N S A C H O U T R Z
S T Q X P A I U A T I U Q A P
N C O J J L N G E R B H B P W
O W E X E A N A E H H X C F X
C C L P I E L N T N P R G O G
E A P V M U A A M N O R B S I
S O L R N T Q I O N E Y O E S
C Y A F U Z Y N D R O V N M E
S C A Y S Z A I O T E A A A L
L U N M R M N P H D Y L W L L
F A C A D E Q O Y A V Q O F E
O L L O P A U H G P X M W B P
C Y D F N U T C R A C K E R V
```

ANYUTA	FACADE	NUTCRACKER
APOLLO	FLAMES OF PARIS	ONDINE
BOLERO	GAYANE	ONEGIN
CARMEN	GISELLE	ORPHEUS
CHOPINIANA	LA BAYADERE	PAQUITA
CHOUT	LA VENTANA	SWAN LAKE
COPPELIA	LES NOCES	SYLVIA
DON QUIXOTE	MANON	TOY BOX

SHADES OF PINK

62

```
E I G N I K C O H S H C A E P
S L B E P O W D E R E R F E E
I T V O W N E L M D T U C Z G
R A H I U S A L Q L C H H E N
E M R U O G A I U H E F T N A
C A E R L R A Q S R U E N D M
U R D P O I D I R R V H A E C
A I N C U J A Y N O E O R M N
P S E E R V B N L V G P A I A
R K V N A L S G P N I G M A L
I N A S O A X C A E E L A N B
C I L S L O H D Q N O C L G E
O W S M F I N R T R Q N C E A
T O O X N A T A E G A M Y R A
M N T A F N O I T A N R A C E
```

AMARANTH	CORAL	PERSIAN
APRICOT	FANDANGO	POWDER
BLANCMANGE	FOXGLOVE	ROSE
BOUGAINVILLEA	FUCHSIA	SALMON
CARNATION	LAVENDER	SHOCKING
CERISE	MAGENTA	TAMARISK
CHERRY BLOSSOM	PEACH	THULIAN
CHINA	PEONY	ULTRA

ORIENTEERING

63

```
U F S U S I G N P O S T N N F
X K P S O E W A L K I N G I V
Z L A T A F E O X S Y P N N T
S A O R O P C R Y P U I I O P
S C B R O A M M T M S E R I C
E I E E T N B O A H L Z E T P
N S W E A O A P C C Z N E A L
T Y E J L R R Q R I I I T N C
I H L S K E I I O L U H N I O
F P T T A L C N E H F D E L N
O Z S D S A F E G I R W I C T
P R I J R C B T N S O S R E O
I N H P A S Y D Z R U O O D U
G I W N H V E L O R T N O C R
C O U N T R Y S I D E N F X S
```

ANORAK	DECLINATION	PHYSICAL
BEARINGS	FINISH	ROUTE
BEELINE	FITNESS	SCALE
CIRCLE	FOREST	SIGNPOST
COMPASS	LOCATE	SYMBOLS
CONTOURS	MAP-READING	TREES
CONTROL	ORIENTEERING	WALKING
COUNTRYSIDE	PATHFINDER	WHISTLE

MARINE LIFE

64

```
I N D W K S U R L A W E A V E
C G N C I R E S K C O D D I P
A F A B L A D Y E F S A E T B
G R E S E C U T T L E F I S H
W E C E T C R I R R K A R K L
G N A U T R U E G I S N L M E
I F T B U I O K T W T E I D S
S G S G R A M P U S H O I W S
E U U E T E K W O W B U N S U
A L R W L C E A S D Q O U F M
H S C H E T O H F S C P L T Q
O A N A U J R W R O O S E A O
R E F L B I B R R T K R A H S
S S O E M T C A C I P T T U J
E V H P S E L O A N E M O N E
```

ANEMONE	MUSSEL	TRITON
CORAL	OCTOPUS	TURTLE
COWRIE	PIDDOCK	VOLUTE
CRUSTACEAN	SEA SLUG	WALRUS
CUTTLEFISH	SEAHORSE	WHALE
GASTROPOD	SHARK	WHELK
GRAMPUS	SHRIMP	WINKLE
LOBSTER	SQUID	WRACK

DEEP

65

```
S B I A T K O N B H E V A R G
S G C I M M E A S U R A B L E
E N Y R X A L A M D I V I V B
L O E K B A C C R A M E D I D
M R A Y W R R E G N M N E W E
O T S L G D Y A R Y E E N K B
H S U S M E P S S E S S G A M
T H S D O N T T B U V N T F U
A G Y A Q T I U R S I E E D L
F O A W B F C T I N R R S E P
B R E P Y W S E W S V E R N N
E D N I I B J A V E S U E R U
U Q N C A N Y O N D A R K A U
L G L B X Z G T N A N O S E R
D E V R E S E R I O U S S L X
```

ABSTRUSE	EARNEST	RESERVED
ABYSS	FATHOMLESS	RESONANT
ARDENT	FERVENT	SERIOUS
ASTUTE	GAPING	SEVERE
BASS	GRAVE	STRONG
CANYON	IMMEASURABLE	UNPLUMBED
CRYPTIC	LEARNED	VIVID
DARK	MYSTIFYING	YAWNING

LOVING WORDS

66

```
G G A E N O M E C N A M O R E
E N W G N I T A D U H J R J Y
N I I U Y C B K M R I E A B N
E L S V C S D E V O L E B R O
L R U M O U A M S A U U B I M
E A O S E L P T T D P R H R R
G D Y C H E R I S H V T K D A
N K O Y J S O S D C S O R E H
A D J A Y N P U T N E A S L R
H A N D S O M E F N N U T I E
Y M F H V I L I L V G T B G D
E M I O D O Q S J A A L G H N
A P L B D U K C R S G N H T E
R E R I S E D E A R E S T V T
N S A S G I F Z A Y D P Z T M
```

AMOUR	DELIGHT	JOYOUS
ANGEL	DESIRE	LOVING
BELOVED	ECSTASY	RELATIONSHIP
CHERISH	ENGAGED	ROMANCE
CUPID	EROS	SUGAR
DARLING	HANDSOME	TENDER
DATING	HARMONY	TRUE
DEAREST	IDOL	YEARN

RELIGION AND RELIGIOUS FESTIVALS

67

```
M T S N I C Z O P Z E A M H E
L N Q A A S H U R A D H S S D
X A T V R T S O W T A O I S M
R C Y D E F H H O O Q X H F P
U I U I V K I R Q Z H L K N S
P L B R O T N V I A O R I F C
P G G H S E T X B A O E S T A
I N C U S Y O I D W I T B M N
K A N Q A S H D I M I S E S D
M I R U P S L G W R P A L I L
O O I H K A S I A B D E T A E
Y T R Y M G A G L Z E K A D M
U J O M U L A G I X G H N U A
Z Y A W O N S U K K O T E J S
I S O H M N Q A N I H T A K A
```

ANGLICAN	**ISLAM**	**SHIBAH**
ASHURA	**JUDAISM**	**SHINTO**
BAISAKHI	**KATHINA**	**SIKHISM**
BELTANE	**LAMMAS**	**SUKKOT**
CANDLEMAS	**MORMON**	**TAOISM**
CHOKHOR	**PASSOVER**	**TIRAGAN**
DIWALI	**PURIM**	**WHITSUN**
EASTER	**RIDVAN**	**YOM KIPPUR**

BETTER AND BETTER

68

```
L A Y S O E L B A R E F E R P
A T T E F R O I R E P U S F P
T M D E N I L M A E R T S I O
I R L Y D H U S R S D A T T L
M E N D E D A E M E L P R T D
E T R A H O C N R A A S O E E
O A L E C T D U C R R Q N R H
V E D A I E C E B E G T G D S
D N U F R H A D M P D D E D I
N J I S N G T O I R N V R R L
M E C E E D E R E V O C E R O
D S W E E T E R O R R F S J P
D E T C E F R E P W E Y E R A
S O U N D E R M R E T A E R G
H D N D E S I V E R S U C U E
```

CURED	MENDED	REVISED
ENHANCED	NEATER	SMARTER
ENRICHED	PERFECTED	SOUNDER
FITTER	POLISHED	STREAMLINED
GREATER	PREFERABLE	STRONGER
HEALED	RECOVERED	SUPERIOR
IMPROVED	RECTIFIED	SWEETER
LARGER	REFORMED	WORTHIER

"Ever tried. Ever failed.
No matter. Try again.
Fail again. Fail better."

Samuel Beckett

69

```
K I N L O S A S S S A I G A S
I R I S O I R I O O I G S G S
I O D A L L B E R L N A O I Y
A R R K J O S A E I A X R O R
R P A T R R I O K M G B A S O
K R A A S H T A F U I A P E S
I X L N C A S M I I T S L F M
M G S A D K K U S S R A C S A
O S P R A E A O A E A E B T K
L V I N K G R M I A A R S A R
O N I F Y D O O M V E C I T Y
S A J A N R R I N E I A M H A
F X R A G O Y D N I N W A I T
D O N O U S S A A L S I D O B
S S S K O L O N I S I I K S R
```

AGIOS EFSTATHIOS	KAMMENI	PAROS
AMORGOS	KEROS	RINEIA
ANDROS	KIMOLOS	SERIFOS
ASKANIA	MAKRYA	SIFNOS
DONOUSSA	MILOS	SYROS
GLAROBI	NAXOS	THIRASIA
GYAROS	PACHIA	TIGANI
IRAKLIA	PANDERONISI	VIOKASTRO

NAUTICAL TERMS

70

```
A T E K C A J E F I L W O Y N
F E S R E D N U O P S S A R B
U E P A Q O N E P E L A E C R
A H S A V N O T D L L T R J M
L A G Z E A U I E L S E O X J
I W S L H O S W X P W K H J A
A O B X B Y S F H E R E C T A
S R K A A O N B O A R D N U P
T U O U T A O B B V R Q A E I
E G Q S V A D M N K B F H Z T
S W D K V G E W A A Y C G I C
A D F C E S E D I S E L I S H
C H U E I V T O G N W G E P R
E R O D E V E T S A G C W A D
D V O Y A G E P Y E S S U C X
```

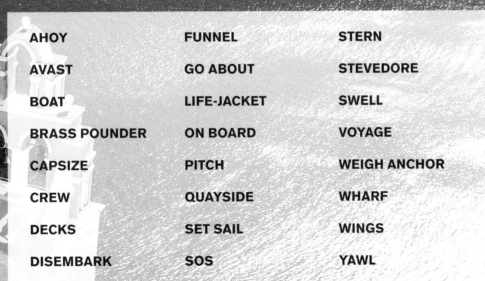

AHOY	**FUNNEL**	**STERN**
AVAST	**GO ABOUT**	**STEVEDORE**
BOAT	**LIFE-JACKET**	**SWELL**
BRASS POUNDER	**ON BOARD**	**VOYAGE**
CAPSIZE	**PITCH**	**WEIGH ANCHOR**
CREW	**QUAYSIDE**	**WHARF**
DECKS	**SET SAIL**	**WINGS**
DISEMBARK	**SOS**	**YAWL**

COUNTRIES OF THE AMERICAS

```
Z S A C I R A T S O C T U R E
B A P V H N I C A R A G U A M
R I D A H V U G A E N B R F A
A N I Q N B Y R A Z A E U R N
Z T E Q A A G J D R D L G O I
I L L U V Z M R B M A I U D R
L U I A R A G A K A F Z A A U
A C H Z A E D C N C H E Y U S
I I C B B O P A E I N A U C N
V A M C S D Y A Y A A H M E U
I E E N G U A T E M A L A A B
L R X N G F Z R E A P L A I S
O A I B M O L O C J C T A O Z
B Z C A R G E N T I N A A N E
E T O P S H S A R U D N O H D
```

ARGENTINA	COLOMBIA	JAMAICA
BAHAMAS	COSTA RICA	MEXICO
BARBADOS	CUBA	NICARAGUA
BELIZE	ECUADOR	PANAMA
BOLIVIA	GUATEMALA	PERU
BRAZIL	GUYANA	SAINT LUCIA
CANADA	HAITI	SURINAME
CHILE	HONDURAS	URUGUAY

BAYS

72

```
N N W N W U S A J H A E T V D
C A E G E G U G H L V S Y L A
D E R K W E W H L W W P F G B
Y E W R O O R E C O P A N O A
K H E S A R W G C R E G T I N
F C R M D G B B A R N E G A T
K A L R E I A J F A N B O H R
A L H P G A E N H O A Q G A Y
M A G Z K N M P S R U P E R T
I P Z R B A P S A E N I T A S
N A G I D R A C J E T H N R A
U M E L I B O M W U A T O I P
M A N I L A G A L W A Y M T M
H R F I N E R C K R A L R A A
W I H N G K I E S E M A J N T
```

APALACHEE	**GALWAY**	**NARRAGANSETT**
ASSONET	**GEORGIAN**	**NEWARK**
BANTRY	**GREEN**	**PEGWELL**
BARACOA	**HAWKE**	**PHANG NGA**
BARNEGAT	**JAMES**	**RARITAN**
BROKEN	**MANILA**	**RUPERT**
CARDIGAN	**MOBILE**	**TAMPA**
COPANO	**MONTEGO**	**UNIMAK**

SHADES OF GREEN

73

```
C F A R A O G A O P S M A V A
D I A I D R R L E A F D D S V
E U M S G K A R M T E D P C O
L E S A P H S O A S S A H A C
E I C A L I S T E C R M R M A
R I H J A S Y R Y A K I E O D
R N A N E R I G G E V N B U O
O B R I G H T U L I E T R F Q
S R T E U U S L R M R E U L W
S R R E F L Y I I E L I N A O
E M E R A L D L L N V P S G L
G Y U V X I R P Q U I Z W E L
Y E S P A S P R U N F R I M I
G I E N J A W S E T A J C H W
I L B N E D A J E C E P K A O
```

APPLE	FERN	MOSS
ASPARAGUS	GRASS	NILE
AVOCADO	ISLAMIC	PERSIAN
BRIGHT	JADE	PINE
BRUNSWICK	KELLY	RESEDA
CAMOUFLAGE	LEAF	SORREL
CHARTREUSE	LIME	VIRIDIAN
EMERALD	MINT	WILLOW

POEMS

74

```
O A C I T E O P S R A D K U I
G N I G N O L O R L E S A R A
S E E H A R T E G A A I C R Y
A N A A I N E S G M A A H E N
V O M R R N A S E Y S P A M A
E L E R E T V H V E K P R H S
F A D E W E T I Y H M E A E S
A Y E B I R V A C O E Z C C A
W A N M A U T S H T O A T N H
A R T E F T S C O M U M E A E
L I W M H A E S S B J S R M S
K E G E T N E V A R E H T O H
W L B R O M E D D P A L A R A
H A L L O W E E N F J I P E M
T Y D L O C D N A T O H E L T
```

A CHARACTER	ECHO	LONGING
A WALK	ELEGY	MAZEPPA
ALONE	HALLOWEEN	NATURE
ARIEL	HASSAN	ONE ART
ARS POETICA	HOT AND COLD	REMEMBER
ASK ME	I CRY	ROMANCE
AUBADE	INVICTUS	THE RAVEN
CASEY AT THE BAT	LARA	WE WEAR THE MASK

CITRUS FRUITS

75

```
P A N A N A T E M I S T R O N
A O A L O E N N I M I P U X V
P O M E M R A S C O L S Z T E
T A M E E T R O G Y V P U A J
U I A G L N O R T I C O Y N Z
S G L R P O K U R K L N S G I
O D N A U J G N A H S K T E H
B S O P R L N A R B H A A R C
A U Q E I A C N T A M N N I A
K R S F B K H E O A N C H N D
I I O R O B L A N C O G A E U
N C K U M Q U A T F Y K P G S
N N E I S A T H R E O P Y U G
O O S T E S L K E Y L I M E R
W P N A U E U Q I N A T R O P
```

AMANATSU	KIYOMI	PONCIRUS
CITRON	KUMQUAT	PONKAN
ETROG	LARAHA	RANGPUR
GRAPEFRUIT	LEMON	SHANGJUAN
IYOKAN	MINNEOLA	SUDACHI
KABOSU	OROBLANCO	TANGERINE
KEY LIME	ORTANIQUE	UGLI
KINNOW	POMELO	YUZU

FRUITS AND NUTS

76

```
T U N A R G B T E F A Z A I H
O G N A M A N L O M H N C I C
E P U M P K I N U C A H C H A
E N H Y R R E S L N I I M P O
A G C A N U T E A P D R A E P
M N A M Z A M B E L A P P C E
A O H G S E T A D I A R T A A
D M I O N C L G Y Y F M O N C
R E W T A E B N A K H C A E H
E L I A G B E D U P A W P A W
P N K U N G N R X T O L I V E
E L U Q A O L E G N A T E G I
A I J R M A F N O L E M I A L
N M H L P I B E R R Y A B R Y
S E A D G A N A V O C A D O N
```

ALMOND	**HAZELNUT**	**PAWPAW**
APRICOT	**KIWI**	**PEACH**
AVOCADO	**LEMON**	**PEAR**
BANANA	**LIME**	**PECAN**
CLEMENTINE	**MANGO**	**PRUNE**
DATE	**MELON**	**PUMPKIN**
FIG	**OLIVE**	**SATSUMA**
GREENGAGE	**PAPAYA**	**TANGELO**

ISLANDS OF GREECE

77

```
S A Y U S D E D S I A S L A S
I O D R H O D E S L O H N O X
I O R K Q L M S N K O N N A V
R C M A X I C A O N X I I N O
S P S J P O R O S X T G R R A
D Y O R A P I R U Y A F S C R
Y H R F E A S O S S I N O L A
O P D N R T A S K Y R O S I I
D G N J A R E I R B I O A W Z
G H A A C O A E G I N A K C A
R O M V I K M A Z I B O R C I
P R A H D L I A K S K E G N R
H Y D R A O I I F E T I V C A
U F R O C U S H A E W W O B C
D Z O I H P Z W T C U B U S I
```

AEGINA	IOS	RHODES
ALONISSOS	KASOS	ROMVI
ANDROS	KEA	SAMOS
CORFU	KOS	SIKINOS
CRETE	NAXOS	SKYROS
GAVDOS	PAROS	SYRNA
HYDRA	PATROKLOU	THILIA
ICARIA	POROS	TINOS

PENINSULAS

```
K S E M W A A S F I T L E J B
A N A I G R F S G E E R A N H
R N C I P M Y L O H P Y O T O
I V E U U E J W E A H V I I Z
K N A A N I A M Y C B E G B A
A U I P R I N C E A L B E R T
R H E A N D D S E Y A Y A R A
I B I E T C S R K K B Z W Y L
C S D D A N U E E I U E F S E
U I E U O E U Y C K P A F E S
S A W D D V W O R L I N U T L
G K L O R Z L Z F L L U L D E
K N R A F E V S U Y I L B A C
H B C F B A V A G N U K O L A
Z S A L N U D P E J E N B O M
```

ABBAYE	HEL	OLYMPIC
ARAYA	INSKIP	OSA
ARDS	KARIKARI	PRINCE ALBERT
BICOL	KEY	SIDE
BLUFF	KOLA	TROIA
BRODEUR	LEITH	UNGAVA
DUNLAS	LLYN	VERDE
FOUNTAIN	MANI	WORLI

EGYPTIAN DEITIES

```
T H M G L N I H U L Y H M K P
A I B E U L E O Y F T V O U E
I T N A S C V F S I H C U B F
T E R U N K U T E T S A B B I
B E N N U E H N Y R E A B M R
D J M T J T B E I M H O T E P
N E K H B E T D N C Z O Y T E
M U N H K N Q C J E S Y T T H
T T A Q S E W U S E T I E E K
G E D K W F S A D E D A L H P
Z P K J W E D I D S H E A K E
A N U K E T J B U J H A T A O
R E G E S T E R E M E U A P R
U R H A T H O R B K F T Z M O
A N H T O H T A U R T R E T P
```

ANUKET	KHEPRI	PAKHET
BANEBDJEDET	KHNUM	QUDSHU
BASTET	MAAHES	RENPET
BENNU	MERETSEGER	SEKHMET
BUCHIS	MESKHENET	TAURT
HATHOR	NEFERHOTEP	TEFENET
HORUS	NEITH	THOTH
IMHOTEP	NEKHBET	WADJET

DESERTS

```
W E N X O Q U V H R A G H N O
Q V A M N O S B I G D R P R N
K A I U U A R E O P I G N A R
Y J L K H D D J B R V R T M
Z O A A T X H W O E H O N A J
Y M R R L U A V A S N I C N U
L A T A A M L T P O Y H G A D
K O S K A K I E S A I R R M E
U E U C S N S R T H I A I I A
M Q A V D E C W U H B N T A N
M T V I C M C A O I S Y T A N
A O A B W X H H A D S A I E A
B N N G B U D N U O E B D K D
I V C T A X Z P X R U L M N K
E I D N E L A H G N A Y B I L
```

ARABIAN	**HALENDI**	**ORDOS**
ATACAMA	**JUDEAN**	**PAINTED**
AUSTRALIAN	**KARAKUM**	**RANGIPO**
BLEDOWSKA	**KYZYLKUM**	**SAHARA**
CHIHUAHUAN	**LIBYAN**	**SECHURA**
DASHT-E LUT	**MOJAVE**	**SONORAN**
GIBSON	**MONTE**	**SYRIAN**
GREAT INDIAN	**NUBIAN**	**TANAMI**

1

2

3

4

5

6

7

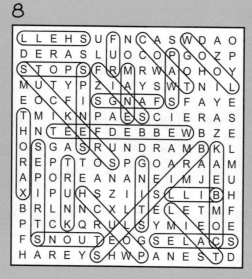

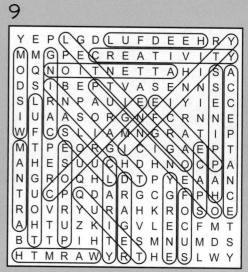

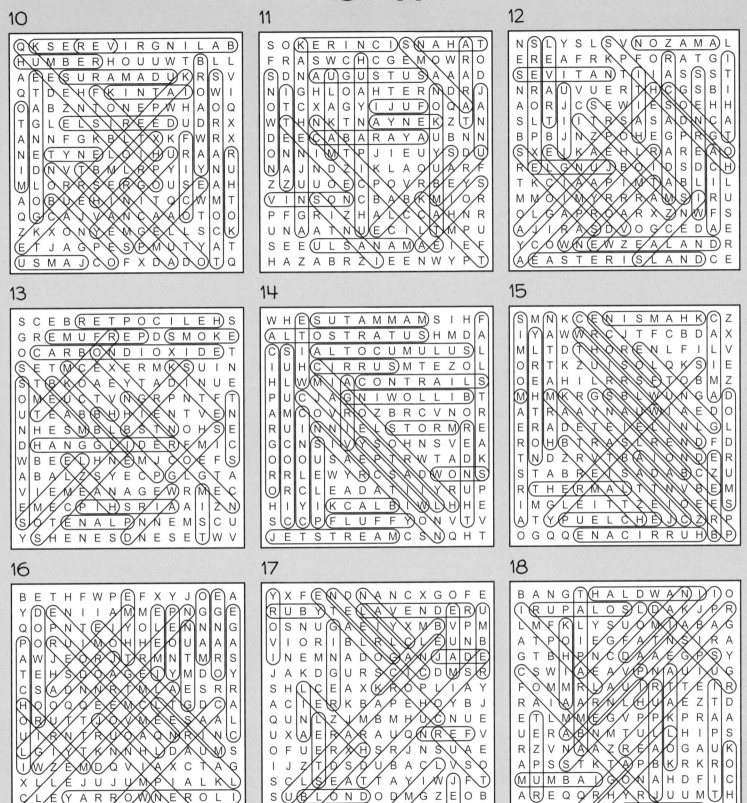

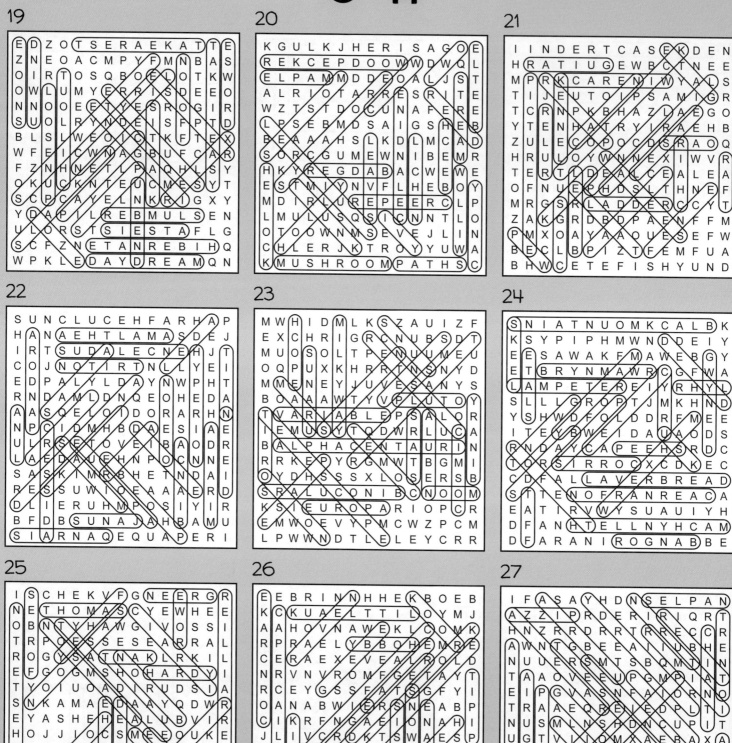

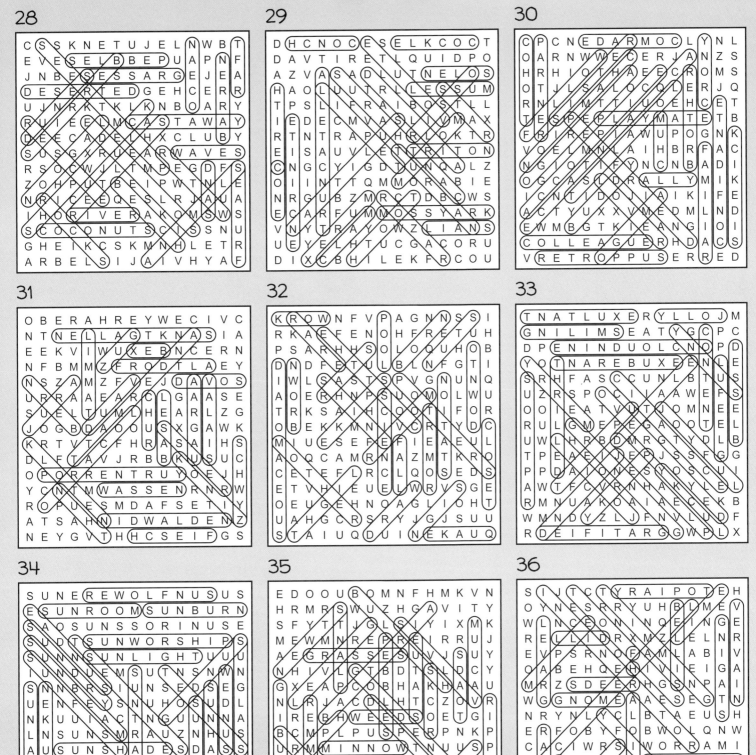

28

29

30

31

32

33

34

35

36

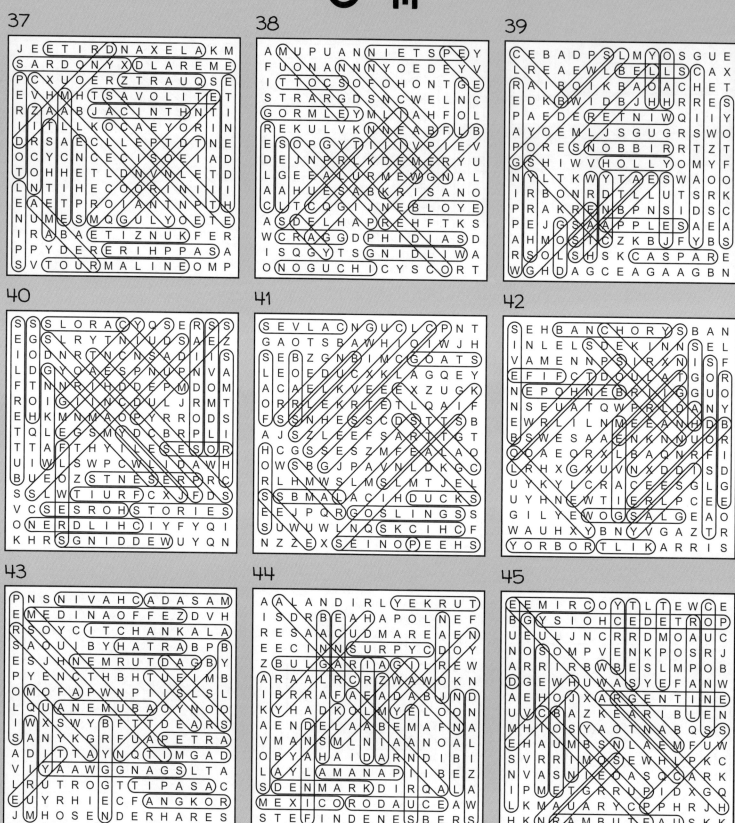

37

38

39

40

41

42

43

44

45

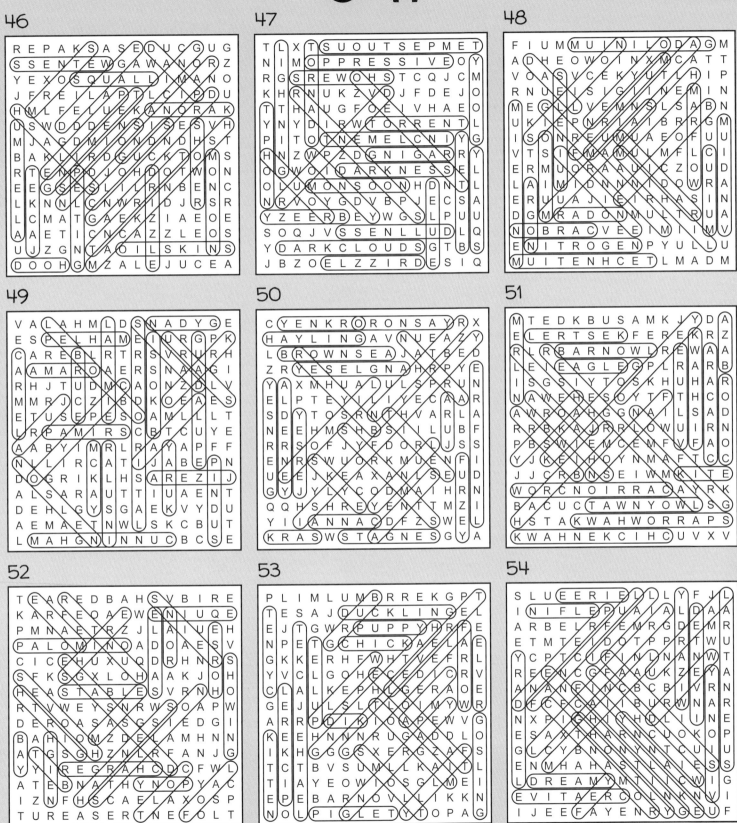

55

56

57

58

59

60

61

62

63